事实还是假象 FACT OR FAKE

打哈欠会传染吗？

[英]伊齐·豪厄尔 著　郭澍 译

人体真相大揭秘！

CTS K 湖南科学技术出版社·长沙

图书在版编目（CIP）数据

事实还是假象．打哈欠会传染吗？人体真相大揭秘！ /
（英）伊齐·豪厄尔著；郭澍译． — 长沙：湖南科学技术出版社，2024.12.
ISBN 978-7-5710-3039-1

Ⅰ．Z228.2

中国国家版本馆 CIP 数据核字第 20243AH202 号

Fact or Fake: The Truth about Human Body
First published in Great Britain in 2022 by Hodder and Stoughton
Copyright © Hodder and Stoughton Limited, 2022
All Rights Reserved.

著作权合同登记号：18-2024-107

事实还是假象：打哈欠会传染吗？ 人体真相大揭秘！
SHISHI HAISHI JIAXIANG：DA HAQIAN HUI CHUANRAN MA? RENTI ZHENXIANG DA JIEMI!

著　　者：[英] 伊齐·豪厄尔　　　　译　　者：郭　澍
出 版 人：潘晓山　　　　　　　　　　责任编辑：李　叶　谷雨芹　谢俊木子
出版发行：湖南科学技术出版社
社　　址：长沙市芙蓉中路一段 416 号泊富国际金融中心
网　　址：http://www.hnstp.com
印　　刷：湖南省众鑫印务有限公司（印装质量问题请直接与本厂联系）
厂　　址：长沙市榔梨街道梨江大道 20 号
邮　　编：410600
版　　次：2024 年 12 月第 1 版
印　　次：2024 年 12 月第 1 次印刷
开　　本：880 mm×1230 mm　1/32
印　　张：3
字　　数：58 千字
书　　号：ISBN 978-7-5710-3039-1
定　　价：36.00 元

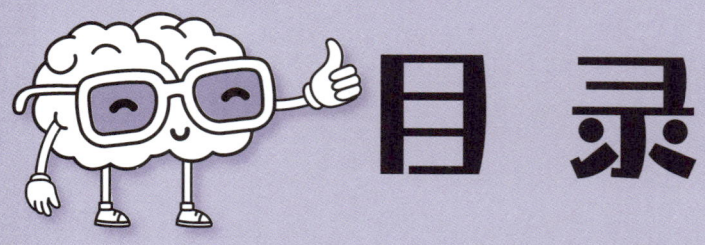

目 录

你能分清
事实和假象吗？

人一年里
要吞掉
8只蜘蛛。
别吓我！

你的身体
有一大半
根本不是人。
不可能！

天下蓝眼睛的人
是一家。
什么？

汗水都很
难闻。
这还用说！
（难道不是吗？）

关于人体，有哪些是人们以讹传讹的谎言？又有哪些是令人大跌眼镜的真相？翻开本书，一起来寻找答案吧——拨开真真假假的迷雾，探索背后的科学真理。这些时而奇特，时而令人捧腹，时而又令人作呕的人体真相，一定会让你的亲朋好友对你刮目相看！

最响的嗝比电锯还**响**

嗝一！

是真是假？

有记录的最响的嗝是109.9分贝，电锯的声音约109分贝。这么看来，最响的嗝以微弱优势险胜！

会让人打嗝的气泡

喝碳酸饮料会让我们更容易打嗝。碳酸饮料里充满了一个个小小的气泡，这些气泡会使我们胃里的气体增多，从而更容易打嗝！

科学揭秘

打嗝是将胃里的气体从嘴巴释放出来。我们说话或吃东西时会用嘴巴吸入空气。这些空气有一部分在胃里被吸收了，但其余的就会通过打嗝排出来。不用觉得不好意思！

真

我们的睫毛里住着细小的螨虫

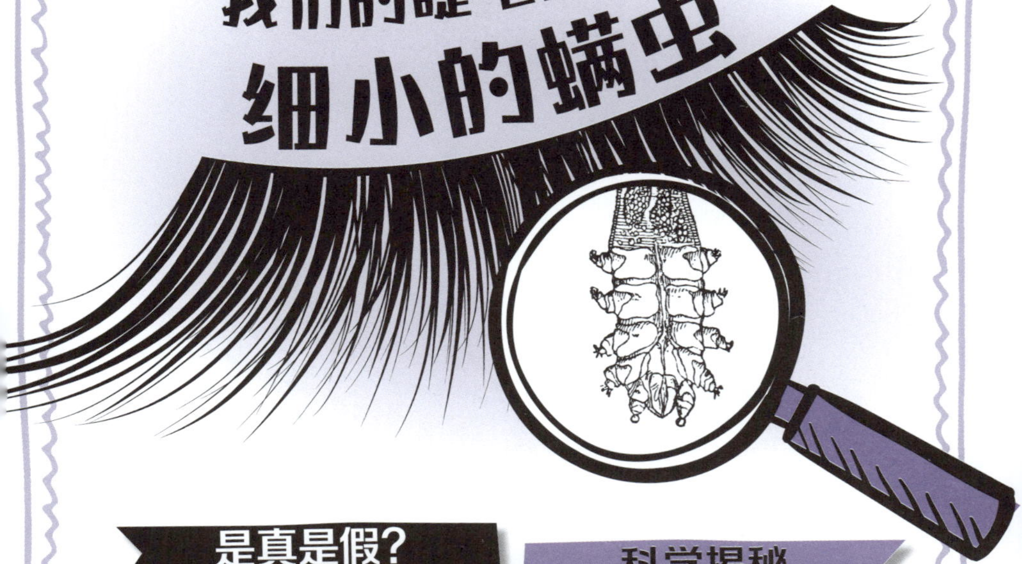

一种叫"蠕形螨"的微型螨虫，就住在我们的眼睛、鼻子和嘴巴周围的毛囊里！一个毛囊是皮肤上的一个小孔，毛发就从毛囊里长出来。我们的皮肤会分泌一种油脂来保护自己，这种油脂叫"皮脂"，蠕形螨正是以这些皮脂为食。

科学揭秘

幸运的是，蠕形螨对人体无害，也极其微小，只有0.3毫米长。五只成年螨虫在一个针尖上站成一排都绰绰有余！所以你可能永远都看不到蠕形螨，但它们一直都存在！

结论
真

3

一名成年人的血管能绕地球两圈半

是真是假?

许多血管都很细,但它们却真的很长!如果将一名成年人的所有血管首尾相连,它们的长度将达到10万千米,足够绕地球两圈半!

科学揭秘

人体的血管大体有三种:动脉、静脉和毛细血管。动脉将血液从心脏输送至全身,静脉将血液送回心脏。毛细血管(参见第79页)连接了动脉和静脉。

结论

真

4

你在睡觉时，

你的大脑也睡着了

是真是假？

当我们沉入梦乡，我们的大脑还在努力工作！它不仅要监视着一切维持我们生命正常运转的进程，还要将新获取的信息存储为记忆，同时，它还要在我们熟睡时把有毒的废弃物排出脑细胞。

结论

假

科学揭秘

大脑活动在不同类型的睡眠状态下也有所不同。在深度睡眠中，脑电波相对缓慢。这一过程可以让大脑得到休息，在白天的活动过后恢复元气。在快速眼动睡眠（简称"REM"）中，我们会做梦，大脑十分活跃！

快速眼动睡眠之谜

科学家们还没研究出我们为什么会有快速眼动睡眠！不过，他们认为这或许是一种我们应对精神压力的方式。

直视强光会让人打喷嚏

有人发现，人从黑暗的地方突然到明亮的地方，会引发一件事——不由得想打喷嚏。阿嚏！

一个奇妙的巧合

看到强光就想打喷嚏这种现象又被称为"光敏喷嚏"，它还有一个更正式的名字，叫"强迫性常染色体显性遗传性光眼激发综合征"，它的英文缩写是ACHOO，这个缩写在英文里正好是"阿嚏"的意思。

科学揭秘

科学家发现，有二成至四成的人有过这样的打喷嚏经历。然而，科学家仍然无法确切得知这是为什么！有一种说法认为，眼睛面对强光时刺激了神经系统，从而导致打喷嚏。

结论
真

肚脐里的细菌可以用来做奶酪

好恶心……真是难以接受！

是真是假？

大部分奶酪都由细菌制成。奶酪制造商通常会用到好几种不同的细菌来制作奶酪，所以我们身体上的细菌为什么不能用来制作奶酪呢！

科学揭秘

2013年，爱尔兰都柏林的科学画廊用人体不同部位——腋窝、脚趾和肚脐的细菌做出了各种奶酪！科学家们特意选取了人体气味比较浓的部位的细菌，这样，做出来的奶酪闻起来就会像它所采用细菌的那个人的味道！

结论·········
真

人体的所有骨骼中，手和脚就占了一大半

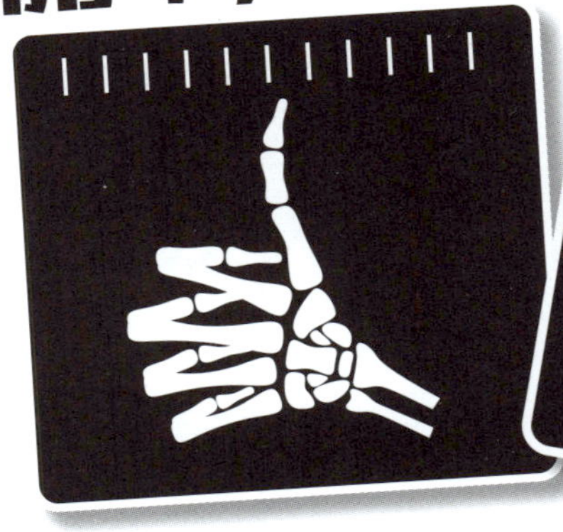

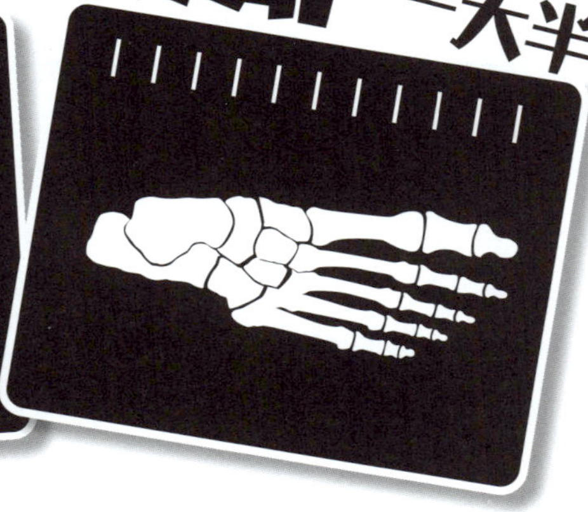

是真是假？

人的每只手有27块骨骼，每只脚有26块骨骼，这样，两对手脚相加一共占去了106块骨骼，而人全身的骨骼共有206块！

科学揭秘

我们的手骨和脚骨数量很多，它们因此可以灵活地朝不同的方向活动，我们才可以实现各种各样的运动。我们的双手可以使用复杂的工具，能完成精巧的工作，还能做出巧妙的手势。

结论

真

脚趾变拇指？

如果手上少了一根手指，可以把脚趾移植到手上来代替这根缺失的手指！

肝脏

别担心，它会再长出来的！

可以再生

科学揭秘

肝脏是少有的能自我修复和再生的器官之一！如果由于肝损伤、肝部疾病或手术而损失了部分肝脏，失去的肝细胞组织大部分会重新长回来。

肝脏是人体最重要的器官之一，它能帮助消化，还能清除血液中的毒性物质。如果肝脏大部分受损，它就无法再生，不过可以进行肝脏移植。

结论
··········
真

大脑控制着我们身体的一切

大家放心，包在我身上！

是真是假？

大脑是人体的控制中心，它通过我们身上巨大的神经网络接收信息并发出指令。大脑几乎控制着身体的每一个动作，除了神经反应。神经反应非常迅速，可以在危险时刻保证我们的安全。

科学揭秘

当我们被扎到或烫到时，皮肤发出的信息会沿着神经传到脊髓，再传回身体，同时向身体发出指令，让它迅速远离危险。为了节省时间，这些指令的传导会跳过大脑！

反应转化成行动！

想测试一下自己的反应速度吗？可以在一间光线较暗的屋子里照镜子，看看自己瞳孔的变化，然后去到一间光线明亮的屋子里，再看看瞳孔的变化。在光线暗的地方，瞳孔会变大，以便接收更多的光线；而到了亮处，瞳孔会自动缩小！

结论
假

人类是唯一长着下巴的动物

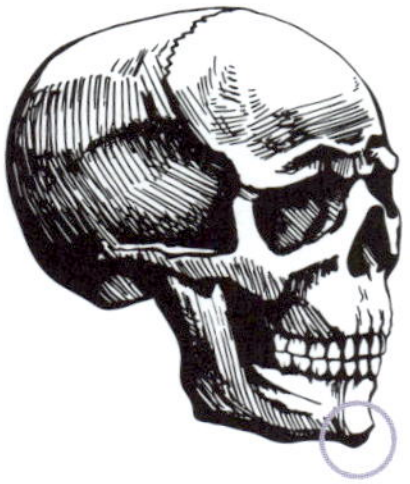

确切来说，是这儿一块小的突起！

是真是假？

如果仔细观察人类的头骨，你会发现它的底部有一块小小的凸出来的骨头。这块凸起的骨头只在人类的头骨上才有。

结论
真

科学揭秘

虽然我们多数时候都用"下巴"来表示脸部最下方的位置，但其实这个词专指这块凸出来的骨头。只有那些长了这块骨头的动物才有下巴。因为人类是唯一拥有这块骨头的动物，自然也是唯一有下巴的动物了！

11

舌头是最强壮的肌肉

人们普遍认为舌头是全身最强壮的肌肉，不过，事实并不是这样，原因只有一个——舌头里根本不止一块肌肉！它其实是由八块不同的肌肉共同构成的。

科学揭秘

大家之所以错误地认为舌头是全身最强壮的肌肉，大概是因为舌头不像其他肌肉那样会感到累。舌头上八块不同的肌肉可以合力完成舌头的工作，于是工作的负担分配得更均匀，舌头就不会感到累了。

谁才是真正的老大？

身体最强壮的肌肉是哪一块，科学家对此尚无定论，因为很难给"强壮"下一个具体的定义。候选的肌肉包括腓肠肌（在小腿上）、颚肌，以及胃壁肌肉。

结论
假

人会发光

高灵敏度相机曾拍到过人类在黑暗中发出自然柔和的微光！这个光比人肉眼所能见到的光线要弱一千倍，但它确实是存在的！

结论

真

科学揭秘

一切生物细胞在进行化学反应时都会产生微弱的光。这种现象叫"生物发光"。一些动物在进行生物发光时，会产生大量的光，比如萤火虫和深海鱼。它们利用发光来吸引异性或诱捕猎物。

13

流鼻血时应该把头向后仰

是真是假？

流鼻血时，人会本能地把头向后仰来止血。其实，向前低头才是更好的处理方式！

科学揭秘

流鼻血时如果向后仰头，会让血液流进喉咙，你可能会把鼻血咽下去。相反，应该捏着鼻翼并向前低头，这样可以让鼻血顺利排出。鼻血会自己慢慢止住的。

结论

假

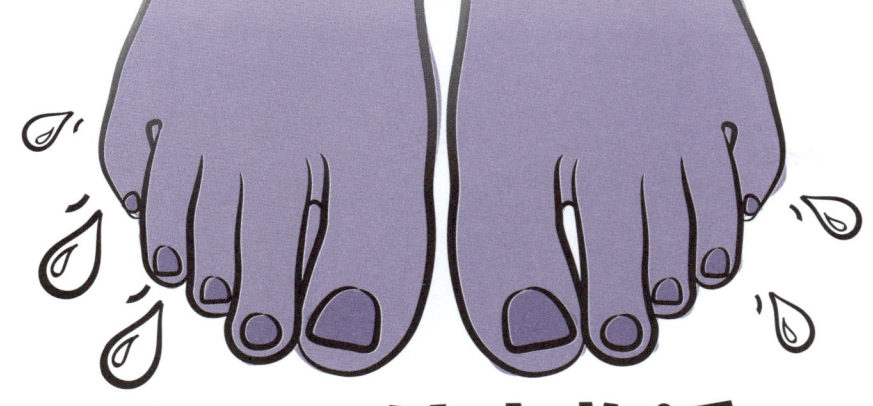

人一天能出将近
300毫升 脚汗

出汗是一种正常的生理现象，能帮我们的身体降温，让我们感觉不那么热。身体的某些部位比较爱出汗，比如手、脚，还有脸部。所以，一天出284毫升脚汗再正常不过了，这说明我们很健康！

科学揭秘

如果身体感到太热，就会通过皮肤上的小孔——毛孔来排出汗液。汗液从皮肤上蒸发时会带走热量，让我们感到凉快。汗液还能起到滋润手脚的作用。如果这些部位的皮肤干燥粗糙，会让我们不那么容易感知到物体。

结论
真

爱出汗的脚底板

我们手掌和脚掌上的皮肤，每平方厘米就包含数百个汗腺！

胎儿的心脏，像鱼像蛙又像蛇

胎儿在母亲的子宫里时，其心脏会经历几个发育阶段。在每个不同节点，胎儿的心脏分别像鱼的心脏、青蛙的心脏和蛇的心脏！

初次的心跳

胎儿第一次出现心跳是在母亲怀孕大约第五周的时候。

科学揭秘

孕期头几周，胎儿的心脏只是一根小管子，就像鱼的心脏一样。这根管子慢慢发育成具有两个心室的心脏，类似青蛙的心脏。再然后，心脏长成三个主要部分，就像蛇的心脏。最后，心脏才会长成具有两个心室、两个心房的"四居室"，这就是人类的心脏。

结论

真

把梦游的人叫醒很危险

人在梦游时可能会摔倒或打坏东西，从而陷入危险。所以最好是把梦游的人领回床上，因为如果把他们叫醒可能会吓他们一大跳！不过，叫醒梦游者对他们的身体是不会有任何危害的。

科学揭秘

梦游在儿童身上比较常见，在成人身上较少发生。科学家还没有完全掌握人为什么会梦游。有一种说法认为是大脑在本不该活跃时仍然保持活跃造成了梦游。不管怎么样，不用担心叫醒梦游者会给他们带来伤害。最重要的是让他们回到床上，那里才安全！

结论
·············
假

18

人一天会吸入 8 000~9 000升 的空气

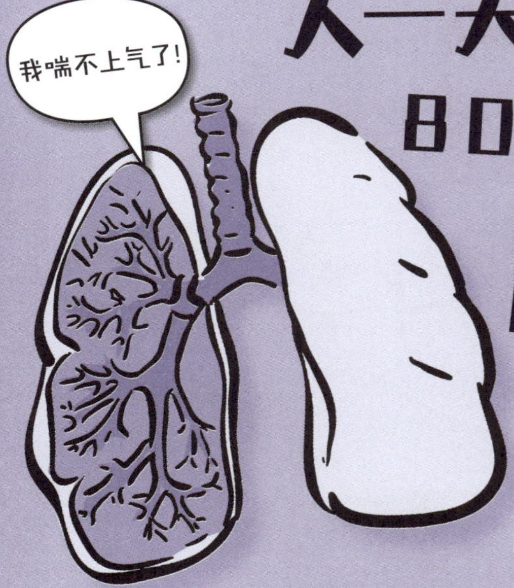

我喘不上气了！

是真是假？

我们的肺有着非常重要的作用——吸入空气，把氧气过滤出来输送到血液里，让氧气通过血液循环为全身的细胞提供动力。肺每天要吸入8 000~9 000升空气，才能提供足够的氧气来维持我们的生命。

结论
真

科学揭秘

肺里有许多气管，像一棵树分出许多枝权。每根气管的末端都有小小的气泡，这些小气泡叫作"肺泡"。在肺泡里，氧气和二氧化碳完成交换，氧气被输送至血液中，而废弃的二氧化碳则被送回肺里，呼出体外。

气管有多长？

如果把肺里的所有气管拉直，首尾相连，它们的长度能达到2 414千米。这个距离相当于从英国伦敦到西班牙马德里的往返路程！

剃毛会让毛发更粗更黑

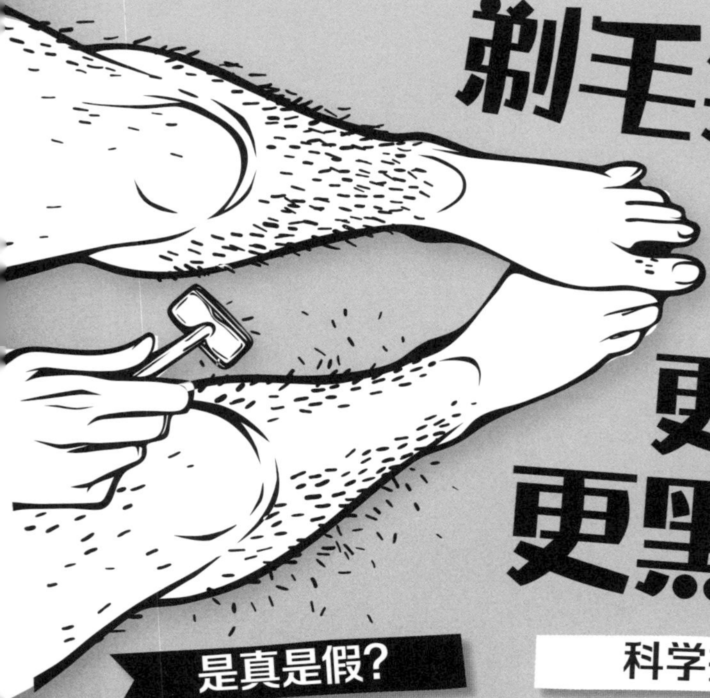

是真是假？

人们常说剃毛会让毛发长得更粗更黑。这是真的吗？被剃过后再长出来的毛发确实看起来更粗也更黑了，不过这只是暂时的！

科学揭秘

剃毛时剃掉了皮肤表面的毛发，而毛根还留在皮肤里。毛发再长出来时，发尖比较钝，这样就会让它看起来比较粗黑。不过，长到以前的长度后，毛发就又恢复如初了。

结论

假

如何让毛发长慢些？

用蜡除毛是从毛发根部去除毛发，也就是说，可以让毛发慢一些长出来！

口香糖要 7年 才能 消化掉

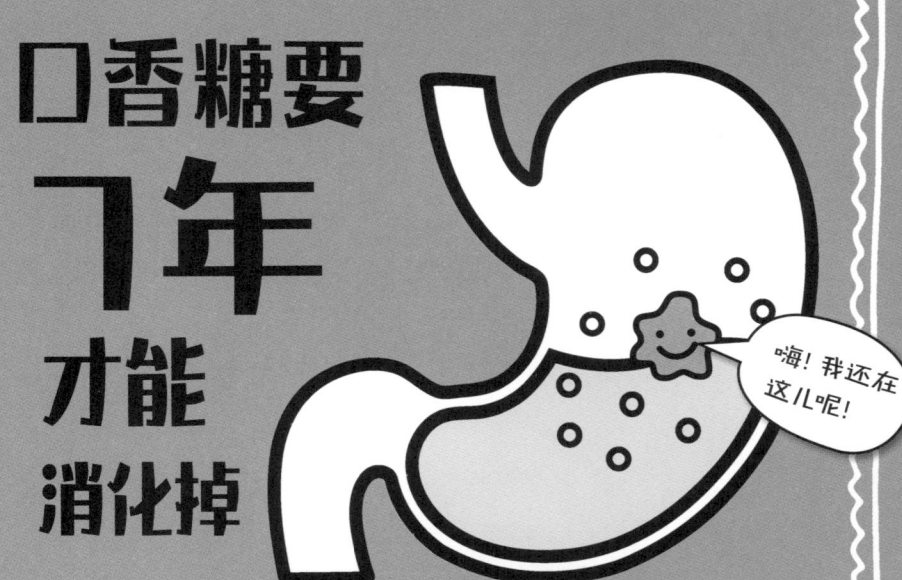

嗨! 我还在这儿呢!

是真是假?

口香糖由胶基添加甜味剂和调味香料制成。胶基由聚合物构成,因此它具有像塑料一样光滑的质感。这些聚合物不能被人体分解和消化,但它们也不会永远待在我们身体里!

科学揭秘

胶基的每一个碎片都会在消化道里找到出路,并最终在马桶里找到归宿! 不过,如果吞下大量口香糖,它会粘在消化系统里,所以,最好还是把它吐出来丢掉!

结论
....
假

21

人的耳朵会不断 长大

你有没有感到好奇，为什么老年人的耳朵那么大呢？这还真不是光线问题——老年人的耳朵确实比我们的大，因为耳朵一直没有停止生长！

科学揭秘

一项对200名患者的研究表明，我们的耳朵每年生长大约0.22毫米。日积月累，50年大约会生长1厘米！要知道，耳朵的平均长度也只有6.3厘米，这个长势真的可谓"喜人"了！

真恼火，我还是听不见你说什么！

结论
真

22

人体每秒钟产生 200万 个红细胞

是真是假？

科学揭秘

血液中含有大量红细胞——每立方毫米血液中有520万个红细胞！因此人体必须努力创造更多的红细胞来代替那些快要死掉的红细胞。只有每秒钟产生200万个新的红细胞，才能跟上这个节奏！

红细胞的平均寿命仅为100~120天。在它的一生中，红细胞致力于将氧气从肺部输送到人体的各个部位。红细胞死掉后，被人体分解，一部分会被人体再利用，其余部分则作为废物被排出体外。

结论
真

显微镜下的红细胞

一个红细胞的直径约为0.007厘米。一个针尖上能容下250个左右的红细胞！

23

人只有5种

大脑

味觉

嗅觉

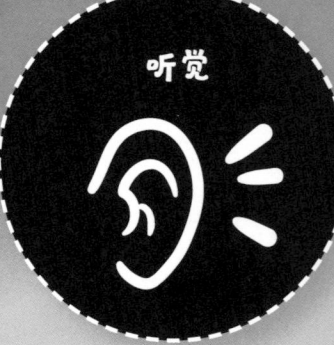

听觉

怎么能少得了我呢?!
　我们最重要却容易被忽视的一个感觉是"本体感觉"——我们对自己身体的动作和姿势的感知。

感官感觉

视觉

触觉

科学揭秘

当我们的眼睛、鼻子、皮肤等感觉器官中的受体细胞接收到周围的信息时，我们就能感知到事物。这些细胞会将接收到的信息沿着神经传送至大脑，再由大脑来解读这些信息。

是真是假？

人类确实有视觉、听觉、触觉、味觉和嗅觉5种感觉。不过，人的感觉绝非只有这5种！我们还能感受到疼痛、冷热、饥饿和口渴。根据对感觉的不同定义，人类可以有9至20种不同感觉！

结论

假

大便 是没有 消化的 食物

科学揭秘

大便由大约75%的水分和25%的固体组成。在这些固体中，只有约30%是未消化的食物！固体里还有30%是死掉的细菌，其余的就是肠道黏膜脱落物、脂肪、矿物质、蛋白质和一些废弃物了。

是真是假？

我们通常认为大便是我们消化系统无法分解的食物残渣。事实上，这只是大便的一小部分！

屎臭的元凶

大便之所以臭烘烘的，是因为一种叫"粪臭素"（或称"甲基吲哚"）的分子！粪臭素是由消化道里的氨基酸分解而产生的。花里也有粪臭素，不过含量很少，所以花才那么好闻！

结论
假

睁着眼睛打喷嚏
会让眼球蹦出来

首先，不说真假，睁着眼睛打喷嚏本身就无法实现。人在打喷嚏时会条件反射（参见第10页）地闭上眼睛。但就算你真的能做到睁着眼睛打喷嚏，也不会对眼球有丝毫伤害！

科学揭秘

咽喉和鼻子都和眼睛没有任何关联，所以打喷嚏产生的压力绝对不会让眼球蹦出来。所以就算你能睁着眼睛打喷嚏，你的眼球也会安然无恙地待在脑袋里！

结论
··············
假

看电视时离得太近会把眼睛看坏

是真是假?

长时间盯着电视看会使你的眼睛感到疲劳。但是,科学家们认为,离电视太近并不会对眼睛造成什么永久性的损伤。

科学揭秘

如果眼睛盯电视很久以后感到疲劳,最好的治疗方法是别再盯着电视屏幕,并且好好睡上一觉。如果总是觉得要坐得离电视很近才能看清,你或许该去检查一下视力了!

结论
假

人的嗅觉比味觉灵敏几千倍

是真是假？

我们一般不会过度关注我们的嗅觉，但它异常灵敏，而且是极其有价值的信息来源。它总是对潜在的危险保持高度警惕，能迅速分辨出很多危险，比如腐败的食物、火灾或有毒气体。

科学揭秘

人们总是过分高估自己的味觉，因为和空气中的气味相比，各种食物的风味和我们的联系更加密切。可是，我们的嗅觉能够识别出连我们自己都意识不到的信息，比如情感，或者某个人是否危险或生病。我们的嗅觉比味觉要灵敏得多！

结论
真

超强嗅觉

鼻子能闻出超过一万亿种不同的气味！

29

婴儿的骨骼数量多于成人

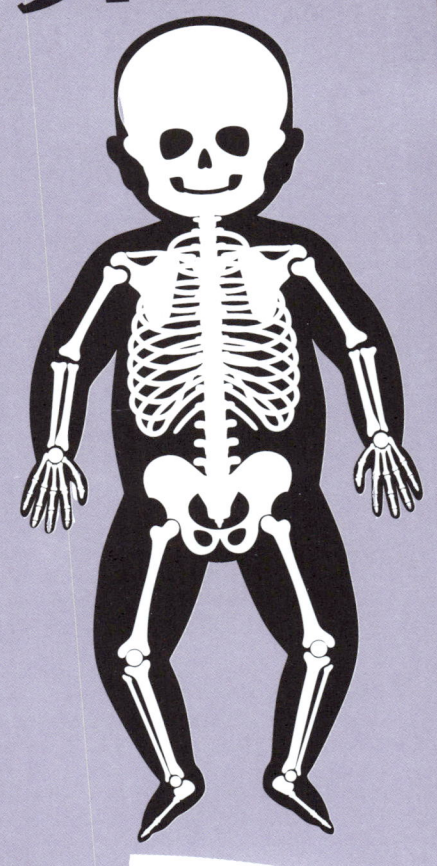

婴儿刚出生时，有300多块骨头，而成人只有206块！那么，人长大后，这些多出来的骨头都去哪儿了呢？

科学揭秘

婴儿的许多骨头都是软骨——这是一种坚硬的组织，比骨骼更有弹性。这些软骨可以保护婴儿在母亲分娩他们时不被挤坏！出生后，婴儿的一些软骨开始慢慢变得坚硬，软骨之间的骨缝渐渐闭合，形成更大的骨头。这样一来，身体里骨骼的总数就减少了。

头骨的秘密

新生儿的头骨有44块不同的骨头！头骨是人出生后最先闭合的骨头之一，这样可以使大脑立刻被保护起来。

结论
真

洗澡时手指的 皮肤发皱是因为 吸了水

是真是假？

你有没有想过，为什么洗完澡后手指的皮肤会变得皱巴巴的，像葡萄干一样？反正这绝对不是因为在水里泡的时间长吸了水。不过，究竟是什么原因，科学家们仍然在苦苦探索。

结论

假

科学揭秘

有一种说法认为，这一现象是血管在水中变窄导致的。由于血管变窄，皮肤就会收缩以填补由于血管变窄空出来的位置，于是手指皮肤就会发皱。还有一种可能是，人类在数十万年前就进化出了这种能力，这么一来，下雨天在外面爬行更加安全。这些褶皱让人们在潮湿的表面可以抓得更牢，和轮胎表面的花纹一个原理！

爱笑的人更长寿

是真是假？

"三、二、一，茄子！"你知道吗？照片里那些有着发自内心的开怀笑容的人比不笑的人更长寿。

科学揭秘

那么笑为什么会让人更长寿？已经有研究证实，快乐的人身体里引发心脏病和糖尿病等疾病的化学物质含量更少。所以，多笑笑吧，它能让你长命百岁！

结论
真

胃酸能溶解金属

是真是假?

盐酸是一种强酸性物质，能溶解某些金属。不可思议的是，我们的胃里就有盐酸！不过，虽然理论上胃酸可以溶解金属，但是最好还是永远不要给它这个机会！

科学揭秘

在胃里，少量的盐酸和其他酸共同消化食物，杀死有害细菌。胃壁有一层保护黏膜，可以保护胃本身不被强酸腐蚀！

到底有多酸?

胃酸的pH值[1]为1至2。它的酸度比电池的酸度（pH值不到1）稍弱一些，而比柠檬的酸度（pH值为2）稍强一些。

结论

真

———————————

1 pH值用来表示酸碱度。以0至14的数字标注，7代表中性，7以上数值越大碱性越大，7以下数值越小酸性越大。——译者注

人一年里要吞掉8只蜘蛛

是真是假?

这个可怕的说法被传得有鼻子有眼，但其实这完全是一派胡言！事实上，这是人们在互联网上容易轻信荒谬谣言的一个典型案例。

科学揭秘

人一辈子能吞下一只蜘蛛的可能性都极低，更别说一年8只了！蜘蛛对人类根本不感兴趣。它们甚至还有可能很害怕人类，因为我们的体形比它们大太多！蜘蛛大部分时候都待在它们的网上，或者在人类不涉足的地方捕捉猎物。

结论

假

人的一生会分泌 35 000 咖啡杯的口水

> 要来一杯吗?

是真是假?

我们的嘴巴每小时分泌大约两勺口水。只要一天,就可以用口水装满一个酒瓶。一生中,人会分泌大约20万升口水,足以装满35 000个咖啡杯!

科学揭秘

唾液腺会持续不断地分泌口水,好让我们的嘴巴保持湿润,并帮助我们进食。口水中还含有多种唾液酶,帮助我们咀嚼食物,为接下来的消化过程做好准备。

结论

真

36

色盲的人眼中的

世界是黑白的

是真是假?

"色盲"这个词本身就有误导性，因为大多数有色觉缺陷的人是能看到颜色的。不过，他们在区分某些特定颜色方面会有一定困难，主要是红色和绿色。

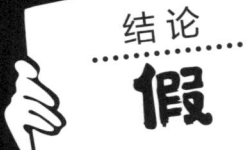

结论

假

科学揭秘

大多数有色觉缺陷的人是遗传自父亲或母亲，或父母双亲。色盲是由于视网膜上负责感知颜色的细胞出了问题。一些疾病，如糖尿病，也可以导致色觉缺陷。

一般情况

色盲在男性中的发生率约为1/12；而在女性中，这一比例是1/200。

你的身体有一大半根本不是人

科学揭秘

想想就很恐怖，人的身体里只有43%的细胞是人类细胞！不过别担心——其他那些占据我们身体的生物都是极其友好的。

住在我们身体里的细菌、真菌和病毒被统称为微生物。大多数微生物存在于我们的消化系统中，它们在分解食物的过程中起着关键作用。虽然其中一些细菌和病毒可能会使人生病，其他绝大多数永久居住在人体里的细菌却能提高人的免疫力。感谢我们的微生物伙伴们！

结论

真

如果吞下一颗苹果籽，肚子里就会长出一棵苹果树

胃酸的酸性非常强，甚至能溶解金属（参见第33页）！所以，就算你不小心吞了一颗苹果籽，它还没来得及萌生生根发芽的"想法"呢，胃酸就已经把它溶解掉了。

结论
……………
假

科学揭秘

种子需要特定的条件才能发芽生长。大多数种子需要在温暖、黑暗、潮湿的地方才能发芽。所以，要不是有那么浓烈的胃酸，胃还确实是种子发芽的理想之地！

喘不上气来？

2010年，一名美国人的肺里发现了一颗发芽的豌豆！他不小心把豌豆吸进呼吸道。这颗豌豆之所以能发芽，是因为肺里不含酸。

人类大脑将近 60% 都是脂肪

是真是假？

大脑是人体最"肥胖"的器官，脂肪含量将近60%！一部分脂肪集中于神经细胞的细胞膜。细胞膜具有保护细胞的作用，并且能加快大脑传递信息的速度。

科学揭秘

摄取脂肪对大脑发育具有非常重要的意义，但不是随便什么脂肪都行！对大脑有用的脂肪是多元不饱和脂肪$\Omega-3$和$\Omega-6$。这类脂肪常见于鱼肉、鸡蛋、坚果等食物中，也能做成药物来被我们摄取。

嗯，美味的$\Omega-3$，真是怎么吃都吃不够啊！

结论

真

40

汗水都很 难闻

是真是假?

新鲜的汗液其实是没有任何味道的！我们通常以为的汗液臭臭的味道其实是身体某些部位的细菌分解汗液而产生的。

闻起来甜甜的汗味儿

一些人的汗液闻起来一点儿都不臭！这是因为他们的汗液里不包含细菌喜欢分解的分子。

科学揭秘

腋窝下的汗液富含脂肪，细菌会将其变成特别难闻的味道！脚底的汗液（参见第15页）由于穿着鞋袜，不易蒸发，所以脚底会聚集大量汗液供细菌分解。

结论

假

东西都是倒立的

我们之所以能看到物体，是由于光线在物体表面反射后进入人的眼睛。在眼睛里，光线弯曲交叉，在视网膜上聚焦，形成图像。不过，有点小麻烦——这个图像是倒着的！

结论

真

科学揭秘

那么我们看到的物体为什么不是倒着的呢？是因为大脑在处理视觉信息时为我们把图像倒转过来了。后来，一位科学家验证了这一理论。他佩戴了一副可以把视觉倒转的眼镜。过了5天，他的大脑就学会自动将视觉颠倒过来，他又可以看到正常的世界了！

人类是由黑猩猩进化而来的

是真是假？

人类和黑猩猩都是灵长类动物。在600万至800万年以前，他们有着共同的祖先。不过，人类和黑猩猩从这些共同的祖先分别进化而来，而不是由黑猩猩进化为人！

早期人类有许多不同人种。一些进化成其他类型的早期人类，不过这些人类几乎都灭绝了，除了一种人。只有"智人"——现代人的学名——活了下来！

祖先在非洲

最早的早期人类是在非洲进化、生长的。后来，在180万到200万年以前，早期人类从非洲迁徙到别的大陆。

结论

假

43

挠自己的脚心不会痒

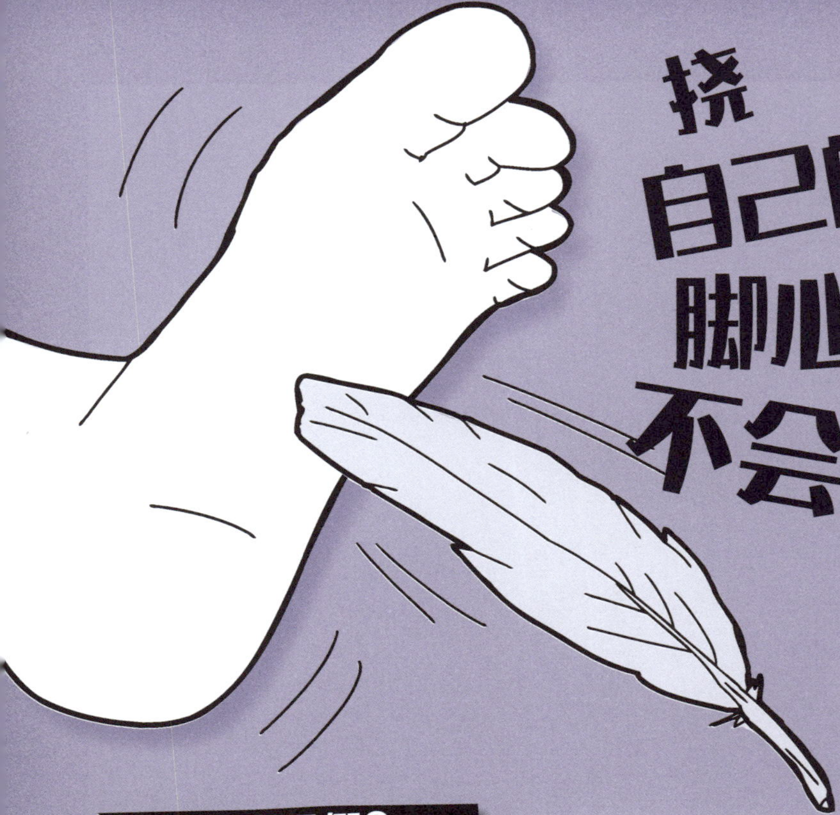

是真是假？

你有把自己挠痒过吗？根本做不到是不是？为什么呢？这背后有非常可靠的科学依据：都是因为小脑——人脑中负责监控动作的部分。

科学揭秘

小脑可以事先预知动作会带来的感受。当你伸出手指去挠自己时，小脑会立刻感知到，并迅速取消身体对这个动作的反应，因为你根本不需要感到痒！可是，当别人挠你时，小脑冷不防受到刺激，根本来不及撤销反应。

结论

真

44

大肠比小肠大

虽然叫"小"肠，但不论是长度还是表面积，小肠其实都比大肠大！小肠的大容量，意味着它有更多空间帮助血液吸收消化掉的食物中的营养素。

科学揭秘

小肠的长度十分惊人，可达6.7至7.6米，而大肠只有1.5米长。小肠内壁有许多褶皱，叫作"皱襞"，这些皱襞上布满细小的突起，叫作"小肠绒毛"。这一特征极大地增加了小肠的表面积，据估计，小肠的表面积约有半个羽毛球场那么大！

结论
······
假

长度输了，但宽度赢了

大肠在某一方面确实能打败小肠——那就是宽度！大肠的直径约有6厘米，而小肠的直径只有2.5厘米左右。

45

舌头的不同部位负责鉴赏不同风味

咸

酸

甜

鲜

苦

是真是假？

所有的风味确实是由基本的五味组成的——甜、咸、酸、苦、鲜。人们曾以为舌头的不同部位负责识别不同味道，但后来这一认识已经被推翻。

结论

假

科学揭秘

不同的受体细胞确实会负责鉴别五味。不过，这些受体细胞遍布在嘴巴里各个角落。不信可以拿一个酸柠檬、脆薯片或甜香蕉试试。我敢打赌，你舌头的任何地方都能尝到这些味道！

什么是鲜？

鲜味是一种浓郁鲜香的味道。蘑菇、奶酪、肉类和酱油里都有鲜味。

人的每一块骨头都和其他骨头相连

这个小东西就是舌骨了。

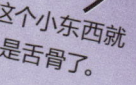

人的骨架包含206块骨头，几乎每一块骨头都和其他至少一块骨头是相连的，只有一个例外——舌骨。这块位于舌头底部的U形骨头完完全全是独立于其他骨头的！

结论

假

科学揭秘

舌骨的作用是将舌头固定住。它与舌头和嘴里的肌肉连接在一起。舌骨对我们的咀嚼、说话和吞咽这些活动都有很重要的作用。

我们的血液里有黄金

我们的血液里有黄金，但这也不足以让我们成为行走的金矿。平均每个成年人体内都含有0.2毫克黄金，所以，需要5 000个人的血液才能淘出1克金子！

科学揭秘

黄金不是我们身体里唯一可以找到的金属元素。要想保持健康，维持正常的机体运转，我们的身体还需要微量的锌、铁、铜和钙。不过，也没必要吞下一串钥匙来摄取这些金属元素——均衡膳食就可以补充我们所需的全部金属元素！

结论

真

48

人死后 头发和指甲还在 继续生长

是真是假？

人去世后，头发和指甲看起来确实变长了，不过这不是它们自己长长了。实际上，这是因为它们周围的皮肤萎缩，所以让头发和指甲看上去似乎变长了。虽然很可怕，不过这是正常现象。

科学揭秘

头发和指甲的生长需要新的细胞。当人的身体死去后，就没有产生新细胞的来源了，所以头发和指甲也就不可能再继续长长。

快速生长的手指甲

人活着时，手指甲的生长速度比脚趾甲快将近3倍！

结论
……………
假

白色的牙齿

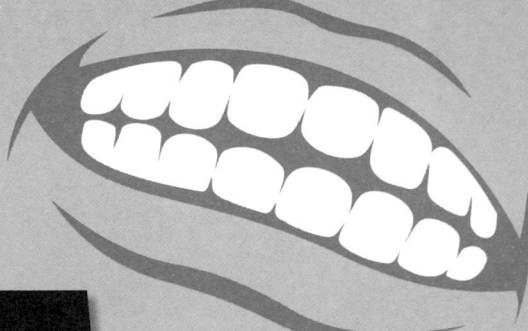

是真是假？

说到健康的牙齿，一般都会想到一
口闪闪发亮的白牙。不过，闪亮的白牙
并不像它们表面看上去那么健康。

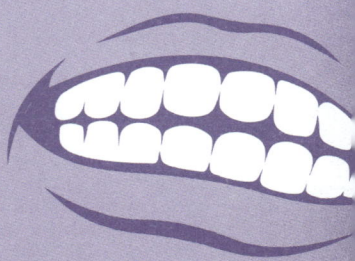

更健康

科学揭秘

随着年岁的增长，牙齿被食物和饮料染色，变得不那么白了，这是正常现象。虽然不白了，但牙齿仍然可以是非常健康的；相反，即便有一口闪闪发亮的白牙，也可能存在蛀牙和牙龈疾病的困扰。所以，牙齿的颜色并不是衡量牙齿健康与否的标准！

结论
....
假

人的头发能承受 两头大象的 重量

是真是假?

头发的力量十分惊人。我们虽然不会经常做这样的试验,但一根头发就能承受100克重量。如果用这个数字乘以一个人的平均发量(有15万根那么多),满头秀发的总承重量可达12吨——相当于两头非洲象的重量!

现实版的长发公主[1]

每根头发每个月长长约1厘米。一年下来,所有头发生长的长度加起来达到了16千米!

科学揭秘

头发如此强韧的奥秘是一种叫作"角蛋白"的物质。我们的指甲,还有动物的蹄子、角和脚爪里都有角蛋白。它组成了头发里无比牢固的结构。每一根头发的外层都被相互重叠的细胞包裹着,就像鱼的鳞片一样,这样既是对头发的保护,也给头发带来了更强韧的力量。

结论
真

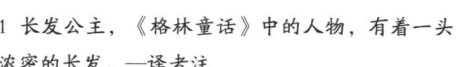

---

1 长发公主,《格林童话》中的人物,有着一头浓密的长发。—译者注

吃胡萝卜可以让人具有夜视能力

简直荒唐——我什么都看不见!

是真是假?

这则关于胡萝卜的神话很可能起源于第二次世界大战。当时英国政府拥有了新的雷达技术,所以他们在夜里能击中敌机。但他们不想让敌人知道这个秘密,于是就放出消息称他们之所以能在夜里取得战果,是因为他们的部队餐食里有大量胡萝卜!

科学揭秘

胡萝卜的确富含维生素A,对我们的视力有好处。但吃萝卜并不能改善视力——它只能让眼睛保持健康。

结论

假

皮肤是全身最重的器官

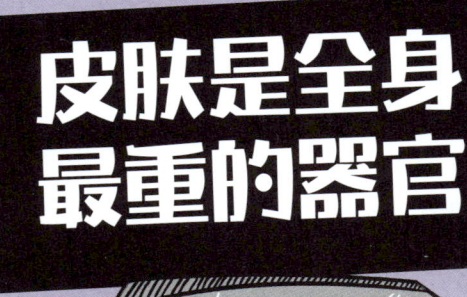

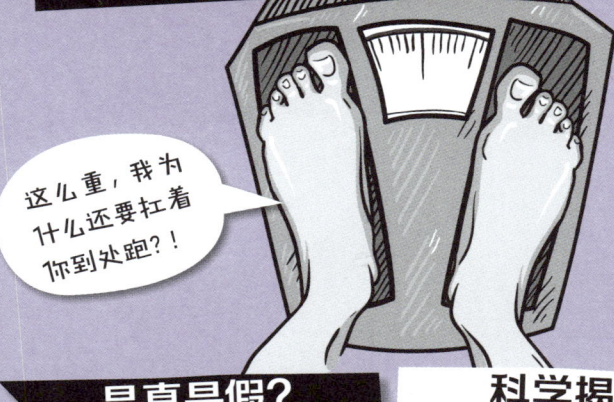

这么重，我为什么还要扛着你到处跑？！

是真是假?

人的皮肤占据了身体总重量的15%~20%。这使它成为全身最重的器官。同时，皮肤还是面积最大的身体器官，它的表面积约占2平方米！

科学揭秘

把皮肤归为器官，听起来似乎有些奇怪，但皮肤确实符合器官的定义——由各种组织结合而形成的、具有某种特定功能的结构。皮肤不仅能保护身体，还能获得周围环境的感觉信息。

结论
真

吃维生素C可以预防感冒

是真是假？

人们常说，吃维生素C能预防感冒。虽然维生素C对身体健康非常重要，但没有证据证实它有预防感冒的功效！

感冒的治疗

感冒是由病毒引起的，抗生素只对细菌有效，所以服用抗生素并不能治感冒！治疗感冒最好的方法是多休息，多喝水补充液体。

科学揭秘

许多关于维生素C对感冒的作用的研究已经开展。不过有一个比较振奋人心的发现，如果常吃维生素C，感冒了可能会恢复得更快！辣椒、草莓、柑橘类水果等食物都含有大量的维生素C。

结论
·········
假

人的身高和双臂展开的宽度几乎一样

是真是假？

先站直，然后伸开双臂。你猜哪样更长一点？神奇的是，它们几乎可以做到一模一样！不信就拿卷尺验证一下吧！

科学揭秘

不同的身体部位有一些奇妙的比例关系。身高和臂展的比例是1：1，也就是说，不论什么年龄，几乎每个人的身高和臂展都是一样的。大腿的长度和身高的比例是1：4，也就是说，大腿的长度是身高的四分之一。这些比例在不同年龄阶段的人群中有所不同。

关于艺术的小贴士

艺术家会利用身体比例的原理来让他们的作品看起来更真实。

结论

真

我们出生后脑细胞的数量就固定不变了

是真是假？

以前，科学家们认为人一出生就已经具备了所有的脑细胞。不过，他们近期发现，大脑健康的人会在一生中长出一些新的脑细胞！

结论
·············
假

科学揭秘

我们大脑中大部分脑细胞在出生时就已经存在了。不过，研究大脑海马体（大脑中和记忆、感情相关的部分）的科学家发现，有新的神经元（大脑和神经系统中的神经细胞）在不断生长、成熟。科学家们认为，学习新事物可能会促进新的脑细胞的生长。

57

脚趾纹、舌头纹与指纹有相同的作用

科学揭秘

我们都知道，我们人类的手指上有着独特的旋涡状图案——指纹。可是，你听说过吗？脚趾和舌头也能留下独一无二的印迹，而且和指纹一样，具有识别身份的作用。

指纹和脚趾纹都是由一系列细小的隆起构成。脚趾纹曾经被用来破获过一起面包店入室盗窃案，这起案件中光脚的罪犯在面粉上留下了一串脚印！我们的舌头上也有细小的裂纹，而且每个人舌头上的裂纹都不相同。

结论

真

肤色深的人没必要涂防晒霜

虽然肤色较深的人的确不容易被晒伤,但这并不意味着他们的皮肤就受到完全的保护。不管什么肤色的人,都需要涂抹防晒霜,以减少罹患皮肤癌的风险。

多功能的黑色素

除了肤色,黑色素还决定了我们头发和眼睛的不同颜色。动物的羽毛和鳞甲里也有黑色素。

我们的肤色取决于皮肤中的黑色素含量。黑色素可以抵挡阳光中对皮肤有害的紫外线,所以深色皮肤的人更不容易被晒伤。不过,黑色素并不能完全保护皮肤不被晒伤,所以,涂抹防晒霜还是很重要的。

结论
....
假

心脏位于胸腔左侧

我们能感觉到心脏在我们胸腔的左侧跳动，但大多数人的心脏其实并不在左侧！事实上，心脏几乎是不偏不倚地在胸腔的中心位置。这怎么可能呢？

科学揭秘

我们感受到的心跳，实际上只是心脏的一部分——来自左心室。左心室是心脏最大、最强有力的部分。尽管心脏的位置在胸腔正中，可心脏大约三分之二的体积都在胸腔的左侧。

长反了的身体

每500人里就有一个人的心脏是反着长的！也就是说，这些人最大的心室是长在胸腔右侧的，所以他们会感到自己的心脏在右侧跳动。

结论

假

扁桃体切除后还会长出来

是真是假？

是真是假？

如果扁桃体总是发炎，有些人会选择把它切除。但做完扁桃体切除手术还不算完，因为它还会再长出来！

科学揭秘

扁桃体切除术后四年，约有10%的患者又长出了部分扁桃体。如果手术中保留了部分扁桃体组织，这种情况就会更加常见。如果你吃了许多糖，也可能引发这种情况，所以要想让扁桃体一去不复返，最好立刻把糖放下！

结论

真

61

人体的每一个细胞都是7年更新一次

是真是假？

人体的大多数细胞都会自动更替，不过节奏完全不同。一位科学家曾估算出人体细胞的平均寿命是7~10年，不过，有的细胞寿命长于平均，有的短于平均！

科学揭秘

人浑身上下的细胞寿命差异巨大。胃黏膜的细胞长期暴露在酸性环境下，所以它们每隔几天就会换一批新的。所有的指甲细胞换新大约需要6个月，全身骨细胞更新则需要10年。

结论……
假

长生不老的细胞

我们心脏的某些细胞和大部分脑细胞都不会更新，它们会伴随我们一生。

骨骼

是人体

最坚硬的物质

是真是假？

尽管骨骼极其坚固（参见第81页），但它其实并不是人体最坚硬的物质。人体最坚硬的物质非牙釉质莫属，它是我们牙齿表面的一层坚硬的"铠甲"。

科学揭秘

牙釉质之所以如此坚固，是因为它的构成物质是矿物晶体。牙釉质比钢铁还要硬，也非常不易留下划痕。不过，牙釉质的质地较脆，因此很容易断裂、脱落。所以，还是要好好保护牙齿！

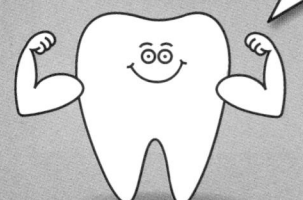

我比钢铁还要坚硬！

结论

假

人类基因的
相似性 高达
99.8%

我们的脱氧核糖核酸（DNA）包含30亿个碱基对，这些碱基对决定着我们是谁和我们的长相。这些碱基对中有99.8%在每一个人身上都是一样的，这使得我们实际上和其他人几乎一样……当然只是从基因角度而言！

碱基对就是DNA这个像绳梯一样的链条上的"梯级"。人与人之间不同的那些碱基对决定了人的不同发色和瞳孔颜色，以及我们是否容易患某种疾病等变量。

结论
真

天下蓝眼睛的人是一家

大约6 000年前，有一个人生来就具有某种基因突变——一双蓝色的眼睛。科学家们认为，从那以后，每个蓝眼睛的人都是第一个蓝眼睛那个人的远亲。

科学揭秘

蓝眼睛是由于基因突变，使得本来应该让眼睛呈现棕色的色素被阻断导致的。每个蓝眼睛的人都有这样的突变，科学家们于是认为这些人都有一个共同的祖先。也有一小部分人是由于健康状况，眼睛才成为蓝色。

结论
真

66

弄响指关节会得关节炎

是真是假？

按压指关节会发出很大的声响，但这样做危险吗？还真没有确凿的证据表明弄响指关节会增加罹患关节炎的风险。不过，一项研究发现，经常弄响指关节的人握力比较差。

结论
·············
假

科学揭秘

当我们让关节分开时，会减少关节滑囊的压力。这样会使关节滑囊中产生气泡。这些气泡破裂时，关节就会发出独特的响声！

气泡破裂

弄响指关节后，关节滑囊中要过20~30分钟才会重新产生气泡。正因如此，人无法连续两次弄响指关节！

心碎这种事是不存在的

是真是假？

人们常说"爱会令人心碎"，可你知道吗？真的存在这么一种罕见疾病，叫"心碎综合征"。被诊断患有这个病的人，往往是那些受到极大感情伤害的人。

科学揭秘

得了心碎综合征，心脏功能会变差，不能正常供血，故而引起胸痛、气短等症状。引发心碎综合征的原因主要是一些令人不快的事情，比如自然灾害、家庭问题或经济困难等。

结论
假

人一天会损失 5亿个 皮肤细胞

是真是假？

人平均每天会损失5亿个皮肤细胞！这听上去损失惨重，不过别担心。身体包含大约30万亿个皮肤细胞，比每天损失掉的多出将近10万倍！

科学揭秘

新的皮肤细胞会不断在皮肤最外层的表皮生成。旧的细胞被挤到皮肤表面，并最终死亡、脱落。

结论
真

清除死皮细胞
你会在家具和小摆设上看到这些死去的表皮细胞——它们是家里灰尘的一个重要来源！

捏着鼻子就无法发出"哼"的声音

科学揭秘

此刻你一定在尝试捏着鼻子发出哼声，是不是？不管你怎么努力尝试，捏着鼻子都是不可能发出哼声的，因为鼻子不通的话，这个音根本发不出来！

正常情况下，当我们说话时，声波会从嘴里发出。不过，发哼声时，嘴巴是闭上的，所以这个音要从鼻子里发出。如果捏住鼻子，声音无法离开身体，所以你根本听不到任何声音发出来！

结论
....
真

静脉血是
蓝色的

是真是假？

我们不小心割破手时，流出来的血都是红色的。不过，我们透过皮肤看到的静脉有时候看起来是蓝色的。不仅如此，图表里的静脉也通常被画成蓝色。这是为什么呢？

科学揭秘

血液之所以是红色，是因为血液中含有一种叫"血红蛋白"的物质。静脉看起来呈蓝色，是因为光线照射在皮肤上并反射了某些肤色。而图表里的静脉画成蓝色，是为了和动脉进行区分。

亮蓝色的血液

马蹄蟹这种动物有着亮蓝色的血液！这是因为它的身体里含有血蓝蛋白，而不是血红蛋白。它们的血液在一些试验中具有重要作用，可用于检测对付危险病菌的新疫苗。

结论
··········
假

71

你曾在姥姥的身体里生长

?!

是真是假？

怎么说呢，那其实不是严格意义上的"你"，而是终将长成为你的那颗卵子。妈妈在姥姥的身体里成长时，身体里已经长出了那颗变成你的卵子！

科学揭秘

当女婴在母亲的肚子里孕育时，会长出一对卵巢，里面包含她出生后一生中所有的卵子。女性长大成人并受孕后，其中的一颗卵子会受精，并长成一个婴儿！

强大的卵巢

一名女婴的卵巢里生来就具有将近200万个未成熟的卵细胞！

结论
真

72

嗷呜嗷呜!

哇啦哇啦!

糖可能导致儿童多动症

是真是假？

许多家长限制孩子吃糖的数量，因为担心糖会对他们的行为产生影响。不用怀疑，少吃糖对孩子的整体健康肯定是有好处的，不过还没有科学证据表明糖会导致多动症。

结论
·········
假

科学揭秘

可是，孩子经常在聚会上吃了太多甜食后而变得很亢奋，这又该如何解释？科学家认为，这样的不良行为可以用未尽兴来解释。他们尽情玩耍，兴奋过头，却不想停下来休息，因为他们玩得实在太开心了！

73

大脑不会感觉到疼痛

大脑中没有疼痛受体，也就是说，它不会感受到来自它自身的疼痛！不过，大脑在感知身体其他部位的疼痛时起着极其重要的作用，身体其他部位的疼痛受体传递出的所有信息都由大脑来解读。

科学揭秘

如此说来，那头痛该如何解释呢？好吧，大脑感受不到疼痛，并不代表头的其他地方不会痛！当头其他部位的肌肉和血管受到伤害时，人就会头痛了。

结论
·············
真

哈欠会传染

别打了，我都被你传染了！

看到别人打哈欠，会让你打哈欠的冲动增加6倍！科学家们认为，被哈欠"传染"可能是一种共情。模仿周围人的行为可以表明你理解他们的感受。

科学揭秘

关于我们为什么会打哈欠，科学家们还没有得出确切的结论。有的理论认为，打哈欠是让大脑冷却下来；有的则认为打哈欠是为大脑充氧，好让昏昏欲睡的身体清醒起来！

哈——啊——

家人或朋友打的哈欠，比陌生人的更具传染性！科学家们认为，这恰恰证实了共情理论，因为我们更容易对自己在意的人产生共情。

结论

真

女性的心跳比男性快

82次/分钟

72次/分钟

男性的平均心率是70~72次/分钟，而女性的平均心率是78~82次/分钟！这是为什么呢？答案在于身体的尺寸！

科学揭秘

女性的身体一般小于男性，心脏也是如此！由于心脏较小，输送的血液也没那么多，所以要加快心脏跳动的频率，以确保足够的血液输送至全身。

勤奋的心脏！
每天，心脏会将大约7500升血液输送至全身！

结论

真

呼吸和吞咽无法同时进行

> 我会不会饭还没吃完就喘不上气了?

出于安全考虑,人无法同时进行呼吸和吞咽。这得益于喉部一个叫作"会厌"的像小盖子一样的组织。

科学揭秘

会厌在喉部靠后的地方。它通常是开放的,这样才能确保我们呼吸时空气进入气道。而吞咽时,会厌就会把气道盖上,防止食物进入气道。

结论

真

77

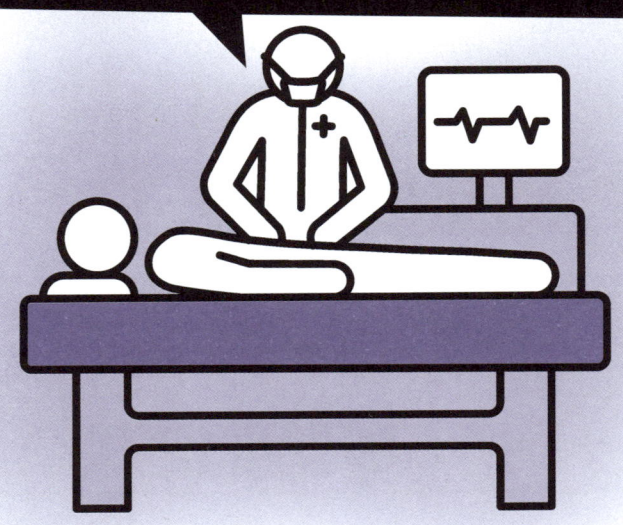

只有内脏才能进行
器官移植

是真是假？

我们常常听到的器官移植都是内脏的移植，如心脏、肺脏或肾脏。可是你知道吗？身体的其他器官也是可以移植的，皮肤、手、腿甚至脸部都可以捐献给其他人。

科学揭秘

任何移植手术都非常困难，有一些身体部位的移植尤为困难，比如手和腿，因为可能引发接骨后的并发症。手术还要将无数神经、筋腱和肌肉连接起来，移植后的器官才能具备正常的功能。

结论
....
假

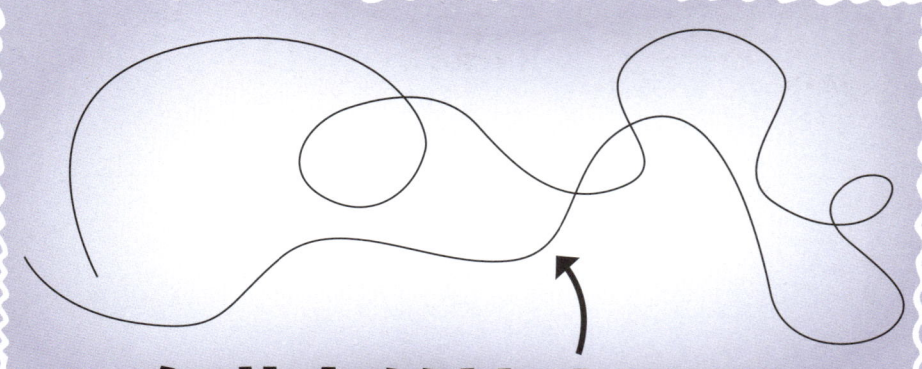

有些血管比头发丝
还要细

毛细血管是人体内最小最窄的血管。它们的直径约为0.01毫米，比头发丝还要细！

细细的，窄窄的

一些毛细血管实在是太窄了，以至于红细胞要排成一队才能通过！

科学揭秘

毛细血管在动脉和静脉之间呈网状分布，将血液输送至全身的每个细胞。毛细血管将氧气和营养物质送入细胞，并把细胞中的废弃物质带回血液。毛细血管和静脉相连，通过静脉将失去氧气的血液输送回心脏。

结论
真

79

卷舌头是遗传来的技能

啊！不行，做不到！

科学揭秘

然而，事实远比遗传要复杂得多！在一项针对同卵双胞胎的研究中，有几对就是其中一个能卷舌头，而另一个不能——要知道，同卵双胞胎可是拥有同样的基因！还有的人克服了基因的"缺陷"，学会了卷舌"绝技"。

是真是假？

你会卷舌头吗？你的爸爸妈妈会卷舌头吗？以前，人们认为卷舌头的技能是从爸爸或妈妈那儿遗传来的。如果你没有这个基因，那这辈子你的舌头都卷不起来！

结论
··········
假

卷还是不卷？

还有个问题，让卷舌这件事变得更加复杂：有些人可以微微卷起舌头，让舌头的两边翘起呈"U"形。科学家也不确定这些人算会卷舌还是不会卷舌！

来吧——感受一下我的力量！

骨骼比钢铁还要坚硬

是真是假？

我们都知道，骨头很坚硬——它们必须得坚硬，因为它们支撑着我们的内脏和肌肉。但是你知道吗？同等重量下，骨头甚至比钢铁还要坚硬！

科学揭秘

骨骼的结构让它能承受极大的力。它坚硬的外层由许多层筒状的骨小管构成。有的骨骼中心是蜂窝状结构，这让骨头变得很轻，但无比坚固。

结论
真

人的大脑也分
"左撇子"

是真是假？

如果你创造力强、想象力丰富，你可能会被称为"右脑型"人；而逻辑性强的人有时会被称为"左脑型"人。这完全是谬论！不管你是什么性格，你对左右脑的运用都是均等的。

和

"右撇子"

不对，我们都是一样的！

科学揭秘

　　大脑的不同半球确实分工有所侧重，负责不同类型的行为。例如，右脑负责与运动相关的任务，而左脑负责处理语言和解决问题。不过，没有证据表明不同性格特质的人在大脑某个半球具有特别的优势。

结论
....
假

83

眼睛可以从

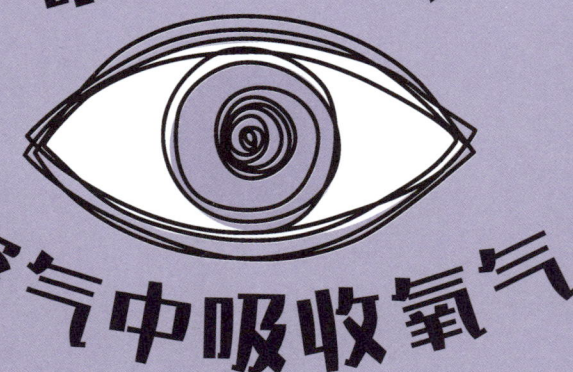

空气中吸收氧气

血液会将氧气输送至身体的几乎每个角落。然而,如果血液涌到眼前,我们就什么都看不到了!那怎么办呢?答案是让眼睛直接从空气中吸氧!

科学揭秘

我们的眼睛必须保持清澈,这样光线才能进来。所以,眼睛不从血液中吸收氧气,而是直接从空气中吸收氧气。眼睛通过房水——眼睛里的一种透明液体——来吸氧。

让皮肤透透气

皮肤表面也能从空气中吸收一部分氧气!

结论

真

所有的细菌都是有害的

是真是假?

科学揭秘

细菌无处不在，我们的体内也有细菌。我们在生活中是无法完全避免接触到细菌的！不过，所幸并不是所有的细菌都有害。有些细菌甚至是有益健康的！

我们的大肠和结肠里就住着很多好的细菌。它们可以帮助我们消化食物、吸收营养。没有这些细菌，我们就会营养不良，继而生病。

结论
......
假

85

吃太多胡萝卜
会让皮肤变黄

是真是假？

吃太多胡萝卜或其他橘黄色的水果和蔬菜，会引起一种叫"高胡萝卜素血症"的现象。这种听起来就很奇特的"怪病"的症状就是皮肤会变成橘黄色，而且通常是鼻子、手心和脚心的皮肤会变黄。

科学揭秘

胡萝卜素包含一种叫"β－胡萝卜素"的色素，它会在小肠内被分解成维生素A。可是，如果吃下大量的β－胡萝卜素，它们并不能全部被转化为维生素A。多余的β－胡萝卜素会进入血液，让身体某些部位的皮肤微微变黄！

"偏爱"小宝宝

高胡萝卜素血症常见于婴幼儿，因为他们有时会吃下过多的胡萝卜泥，而他们小小的身体根本吸收不完这么多β－胡萝卜素！

结论

真

我们对大脑的利用率
只有10%

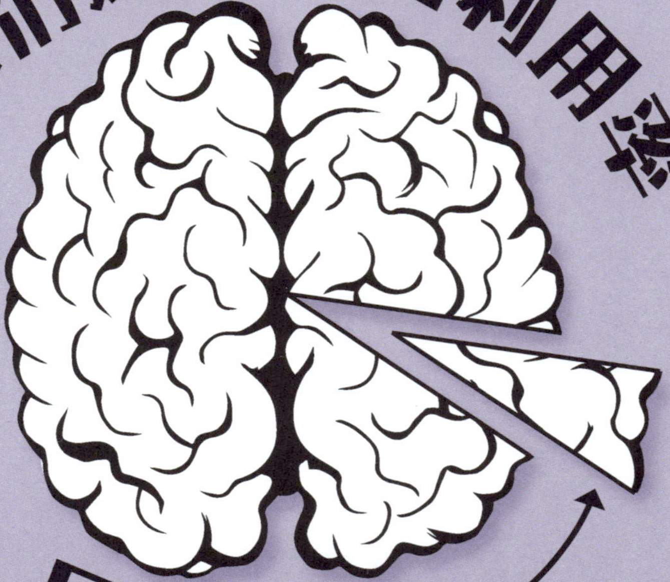

是真是假？

虽然学习新事物可能促进大脑生长发育，但并不是意味着我们以前没有完全开动脑筋！

科学揭秘

掌握新技能会在大脑中的神经之间建立新的连接路径。但学习的过程并不是让大脑未被利用的部分活跃起来，而是让本来就已经被开发的大脑越来越强！

结论
......
假

人体所有DNA的
长度总和是
太阳系直径的两倍

是真是假？

科学揭秘

如果把一个细胞里的DNA拉直，它的长度可达2米。如果将体内所有细胞里的DNA拉直并首尾相连，长度可达数百亿千米，直径约为太阳系的两倍！

DNA模型呈双螺旋形，看起来就像两个蜻蜓缠绕的梯子。每个DNA模型弯曲的弧度都非常大，所以在细胞内占据的地方就比较小。正因如此，我们体内才能容得下这么多DNA！

结论

真

阑尾是个没用的器官

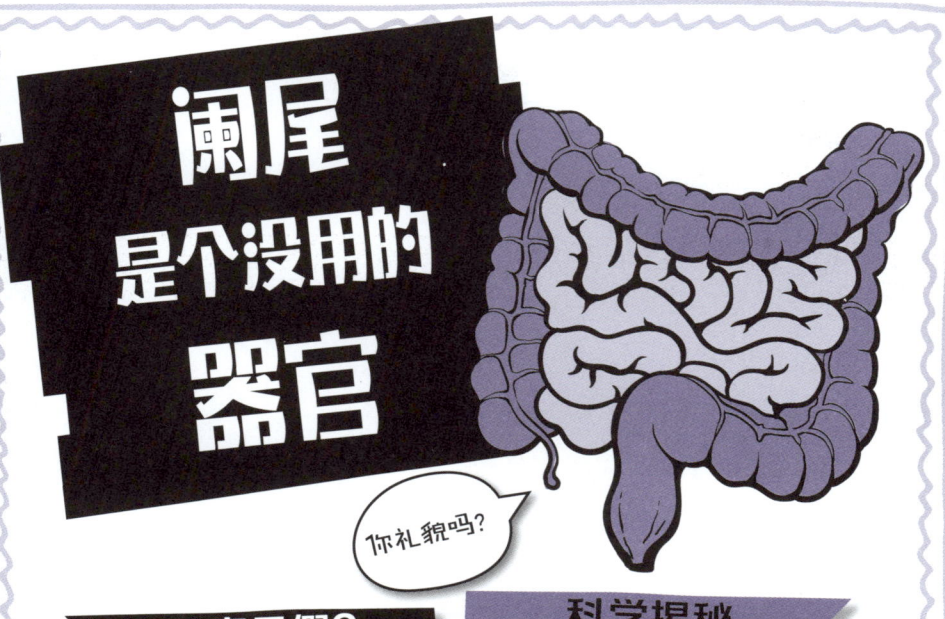

你礼貌吗?

是真是假?

长久以来，医生都认为阑尾（大肠末端的一段细细的管状组织）对人体没什么用处。然而，今天的医生认为阑尾里存储着有益健康的肠道菌群，可以帮助我们提高免疫力。

科学揭秘

研究表明，切除了阑尾的人在患上腹泻引发的疾病后，恢复得会比较慢，因为腹泻会将有益的肠道菌群排出体外。没有阑尾存储这些有益的菌群，患者的小肠和免疫系统恢复正常的速度就更慢。所以，阑尾的作用不容小觑！

结论········
假

"越活越回去"

随着人的年龄增长，阑尾会越变越短！一个人的童年时期也是阑尾最长的时候。

词汇表

本体感觉：能感知到身体的力量和其所处位置的感觉。

扁桃体：位于口腔后部的淋巴器官，左右各一。

变量：可以改变的因素。

表皮：皮肤的最外层。

动脉：将血液由心脏输送至全身的血管。

多动症：一种精力过剩、注意力无法集中的疾病。

二氧化碳：细胞产生的一种废气。

反射：迅速而又不自觉的反应。

肺泡：肺部气体交换的小囊泡。

分解：把事物分成更小更简单的部分。

分子：两个或两个以上原子相结合形成分子。

感觉器官：向大脑输送感觉信息的器官，比如眼睛和耳朵。

关节炎：使关节出现僵硬、肿胀等症候的一种疾病。

海马体：脑的组成部分，与记忆和情感相关联。

黑色素：一种为皮肤、眼睛和毛发着色的色素。

会厌：喉头上部的平滑组织，我们吞咽时，会厌会像盖子一样闭合，避免食物进入气管。

肌腱：一种坚韧的结缔组织，连接肌肉和骨骼。

基因：包含决定生物发育、生长和运转的遗传物质单元（通常指脱氧核糖核酸）。

基因突变：指基因（遗传物质）的变化，其影响可能是积极的，也可能是消极的，也可能没有影响。

脊髓： 位于脊椎内的细长圆柱体，包含无数的神经元。

角蛋白： 一种存在于毛发、皮肤和指（趾）甲中的蛋白质。

进化： 随着时间的流逝而发生改变，比如生物通过进化变得更适应其所处的环境。

静脉： 将全身的血液输送至心脏的血管。

聚合物： 由许多大分子聚集而成的物质。

阑尾： 与大肠连接的一小段狭窄管状器官。

灵长类： 哺乳动物的一种，包括人类、类人猿、猴子、狐猴等，大多数灵长类动物会表现出智慧和适应性强的行为。

卵巢： 一对可以产生卵细胞的器官。

螨： 一种细小的无脊椎动物。

毛孔： 皮肤上细小的孔。

毛囊： 皮肤上的小洞，毛发即在此生长。

毛细血管： 管径非常小的微小血管。

酶： 生物产生的一种化学物质，可加速（或减缓）化学反应,例如消化酶。

膜： 一层薄薄的组织。

pH值： 代表物质酸碱度的数值。

皮脂： 腺体分泌的一种油性物质。

器官： 身体里具有特定功能的组织结构。

软骨： 人体内一种韧性较大的组织。

神经元： 神经细胞。

生物发光： 生命体散发出来的光。

视网膜： 位于眼球后壁的一片区域，可以接收光线并将视觉信息传输给大脑。

受体细胞： 能感知到环境变化的细胞。

痛觉受体： 能感知疼痛的细胞。

脱氧核糖核酸（DNA）： 生物体内含有遗传信息的化学物质。

唾液： 口水。

微生物群系： 细菌、病毒、真菌等极小的生物。

细胞： 生命活动的基本结构与功能单位。

细菌： 一种单细胞微生物，某些细菌种类可能引发疾病。

显性（基因）： 显性基因通常让人表现出某种特征。

小脑： 脑的组成部分，控制着我们的运动和肌肉。

心室： 心脏的一个组成部分。

血红蛋白： 某些动物（包括人类）红细胞内的一种物质，可以与氧结合，并将氧输送至全身。

血蓝蛋白： 某些动物体内的一种物质，可以与氧结合，并将氧输送至全身。

牙釉质： 牙齿表面一层坚固的白色物质。

氧气： 空气中的一种气体，细胞需要利用氧气来产生能量。

移植： 尤指在不同的人之间进行身体部位的移植。

遗传： 从亲代身上获得基因（遗传物质）。

营养素： 生物体赖以生长和维持健康的物质。

再生： 再一次长出来。

蒸发： 液体变成气体，如水蒸气的过程。

直径： 穿过物体中心连接两端的直线距离。

子宫： 人体器官，婴儿出生前在其中生长发育。

紫外线： 一种电磁波，其波长比光波短，但比X射线长。